Collection Poésie
dirigée par André Brochu

DU MÊME AUTEUR

L'INVENTION DE LA ROUE, dans *La Nouvelle Relève*, Montréal, octobre 1941.

ALLÉGORIES, dans *Gants du ciel*, Montréal, septembre 1943.

THÉÂTRE EN PLEIN AIR, Montréal, Cahiers de la File Indienne, 1946, avec six dessins de Charles Daudelin.

TOTEMS, Montréal, Éditions Erta, 1953, avec quatre illustrations d'Albert Dumouchel.

VOYAGE AU PAYS DE MÉMOIRE, Montréal, Éditions Erta, 1959, avec six eaux-fortes de Marcelle Ferron. Édition de luxe à tirage limité.

SÉMAPHORE suivi de VOYAGE AU PAYS DE MÉMOIRE, Montréal, Éditions de l'Hexagone, 1962.

SIGNAUX POUR LES VOYANTS, Montréal, Éditions de l'Hexagone, collection Rétrospectives, 1972; collection TYPO, 1984.

À L'INCONNUE NUE, Montréal, Parti pris, 1984.

GILLES HÉNAULT

À l'écoute de l'écoumène

poésie

l'HEXAGONE

Éditions de l'HEXAGONE
Une division du groupe
Ville-Marie Littérature
1000, rue Amherst
Montréal (Québec)
H2L 3K5
Tél.: (514) 523-1182
Télécopieur: (514) 282-7530

Maquette de couverture: Katherine Sapon

Distribution: Diffusion Dimédia inc.
539, boulevard Lebeau
Saint-Laurent, Québec H4N 1S2
Téléphone: (514) 336-3941; télex: 05-827543

Dépôt légal: 4e trimestre 1991
Bibliothèque nationale du Québec
Bibliothèque nationale du Canada

À l'écoute de l'écoumène

POÈME À PLUSIEURS VOIX

1 voix d'homme
2 voix de femme
3 voix de femme
4 voix d'homme
5 voix de femme

PREMIER TABLEAU

1 *voix d'homme*

D'un hiver translucide je suis sorti…
des frères et des sœurs traînaient
dans la rue
leur petit baluchon de vie
les autos klaxonnaient leur fébrilité jazzée
quelqu'un quelque part voulait arriver vite
au rond-point de sa mort

2 *voix de femme*

Au carrefour de sa mort

1 *voix d'homme*

Un effet de serre tordait le manteau
des grandes glaciations

3 *voix de femme*

Les toujours renaissants dinosaures
dénudaient le printemps

4 *voix d'homme*

De longs mugissements hap-
paient
les forêts mâchouillaient
les racines désertifiaient
la toundra la taïga

1 *voix d'homme*

Le monde chavirait sur son axe
depuis la grande glaciation
Le désert seul le désert
devenait fertile
les dinosaures se noyaient
dans le pétrole
Au milieu de la cohue des villes
un homme se hâtait vers le
rond-point de sa mort

2 *voix de femme*

Vers le carrefour de sa mort

3 *voix de femme*

Les toujours renaissants dinosaures
dénudaient le printemps

1 *voix d' homme*

La rumeur infinie des vieux fleuves
couvrait tout bruit
le rameur fatigué ne remontait pas
vers la source utérine
le fil des heures tirait sa barque
vers l'estuaire toujours ouvert
sur l'infini

2 *voix de femme*

toujours ouvert sur l'infini

3 *voix de femme*

vers l'estuaire de sa mort

4 *voix d' homme*

Ah Faust
tes diableries nous ont trompés

1 *voix d'homme*

Pendant ce temps je me promène
ayant quitté l'hiver translucide
dans la rue
parmi la foule des petits
baluchons de vie
Ça remuait dans ce décor
c'était plein de vagissements
des yeux voulaient s'ouvrir pour
voir la vie

2 *voix de femme*

Pour voir quelle vie?

3 *voix de femme*

Pour voir les dinosaures?
et la lente désertification
des steppes l'immolation
des désirs en fleurs?

1 *voix d'homme*

J'entendais parler les gens
qui causaient de météo
Il paraît, disaient-ils,
qu'il fera beau demain.
Seule conversation
pendant la glaciation.
Mais d'autres paroles me parviennent
d'ailleurs pour briser le frasil
des phrases

5 *voix de femme*

La fragrance mauve
des avocats déteints
s'alimente aux sources
du désir d'oranges
résistible destin
trépanation des heures fastes
au fil des jours textiles

1 *voix d' homme*

Poésie peut-être? ou
prose pécheresse? En tout cas
paroles venues d'un frisson blanc
qui rompt le rythme des mots cousus
Au milieu de la cohue des villes
un homme couvait l'espace du vivre
La parole enfin se faisait dégel

4 *voix d' homme*

dégel de la parole
effet subliminal au niveau
du murmure liminaire
les secrets tus inhibent
la porosité des pensées

1 *voix d'homme*

Déferlements
dérive des continents
la Grande Ourse chavire dans l'instable
déplaçant la tramontane et les points cardinaux
mêlant en mer les chemins des bateaux
Parler n'a plus de sens quand rien
n'oriente plus la parole

3 *voix de femme*

Parole désorientée
nous en sommes là
au carrefour de la mort

DEUXIÈME TABLEAU

1 *voix d'homme*

Sur les écrans
toute la terre nous est présente
les images nous tapissent le cerveau
kaléidoscope intraduisible
les fondus enchaînés transforment
les rires en pleurs
les famines en mirages
les fusées en photons
les foules en félins
les orchestres en chars d'assaut

2 *voix de femme*

C'est l'image réversible du réel
Tweedledum et Tweedledee

3 *voix de femme*

Image dans le miroir
magie dans le riorim

4 *voix d'homme*

Bref c'est le triomphe
de l'anagramme/emmargana

5 *voix de femme*

Visa le blanc tua le noir
l'image inversée permet
toutes les férocités
il suffit d'un peu de temps
pour transformer la victime en
    bourreau
pour que la liberté devienne
un fondu enchaîné

1 *voix d'homme*

Et la faiblesse est changée
en férocité sur la face du siècle
Tweedledum et Tweedledee
sont des amis
que toujours un hochet
pourra changer en ennemis

2 *voix de femme*

La gauche c'est la droite
— effet de miroir —

3 *voix de femme*

Le jeu d'échecs est à l'envers
— effet de miroir —

4 *voix d' homme*

Le progrès va régressant
— miroir déformant —

5 *voix de femme*

J'ai vu le Pozzuoli et la mer
    d'Italie
les plages d'Ischia et la baie de
    Naples
les fastes de la Chine les mina-
    rets de Fès
les mulâtresses de Rio pro-
    menant leur
derrière comme des arcs de tri-
    omphe
l'Europe et ses châteaux ses
    musées
ses cathédrales ses vignobles sa-
    crés
J'ai vu de la terre autant que
j'en pouvais voir et la Grèce
    aussi
partout je me suis enivré de
    leurs
vins et alcools du raki et du
    sake
mais je ne suis pas rassasié

1 *voix d'homme*

En ce vingtième siècle
j'étais celui qui se promène
dans la rue
avec son petit baluchon de vie
Montréal m'était une maison
un port d'attache
pour mes fondus enchaînés
Montréal m'était mon cinéma
La vie réelle était ailleurs
peut-être dans le Mexique
de Zihuatanejo?

TROISIÈME TABLEAU

2 *voix d'homme*

L'Amérique me hante
L'Amérique me tue
je me terre dans mon terroir
l'empire empire à mesure qu'il
    s'étend

3 *voix de femme*

C'est toujours ainsi avant le dé-
    clin
Une ère nouvelle peut-être
s'annonce à l'Est

4 *voix d'homme*

Les soleils couchants sont tou-
    jours
les plus resplendissants

1 *voix d'homme*

Toujours on espère
de plus beaux lendemains
mais l'avenir est une loto pipée
qui n'abolit pas le hasard
je me promène dans la rue
avec mon petit baluchon de vie
Qui veut échanger le sien
contre le mien?

2 *voix de femme*

Un homme se hâte vers
le carrefour de sa mort
il a tout ce qu'il faut pour y ar-
     river:
le stress la bagnole
le dégoût d'une agitation futile

3 *voix de femme*

Heureusement le citoyen
est pris dans le labyrinthe
des autres citoyens pris dans
le labyrinthe des lois et règle-
     ments
Il n'en sortira pas de sitôt

4 *voix d'homme*

Pour courir vers le carrefour de
     sa mort

1 *voix d'homme*

Ce n'est pas du hasard que je parle
mais de la vie

5 *voix de femme*

Tu parles des hasards de la vie
J'y viendrai quelque part
peut-être par hasard...
seule une mémoire te tisse un
    être
des êtres successifs qui trament
ta vie. Quelque part l'ado-
    lescence
pleure d'avoir perdu l'enfance
et l'âge mûr se souvient
d'avoir vécu les heurs et les
    malheurs
de la jeunesse. Étaient-ce
    mêmes
personnages, et même ten-
    dresse?
mêmes sons, mêmes bruits et
    mêmes chansons?

1 *voix d'homme*

Le discours refait toujours
les mêmes détours.
Serait-ce que la porte du rêve
m'est désormais close?
La nostalgie ne vaut rien
le poème est toujours futur...

2 *voix de femme*

Si l'on n'est plus à l'âge des
premières sensations il faut dire
son rêve à rebours. Un vent de
mémoire peut t'emporter vers
    l'avenir.
Mozart toujours t'enchante.

3 *voix de femme*

Et les voyages sont inépuisables
Tu n'as pas vu l'Égypte ni les
    hauteurs
de Machu Picchu, ni l'Inde aux
    temples
biscornus, aux ondulantes baya-
    dères
La liste serait longue de ce qui
pourrait pour toujours échapper
à ton regard

1 *voix d'homme*

Faut-il tout voir?
même ce qui est pour nous, indéchiffrable?
La mort des civilisations pèse
comme dix atmosphères sur notre
destin personnel inéluctable
Sur les stèles du passé s'inscrit
notre précaire avenir
Le bateau de marbre du Palais d'été
près de Pékin traverse — immobile —
la célérité des siècles
mieux que les pétroliers

qui coulent dans le détroit d'Ormuz
ou qui vont s'échouer sur les plages
de Bretagne semant la mort gluante des oiseaux.
Triste planète désormais que la nôtre
Rien ne m'oblige à visiter la Mecque
ou Jérusalem, lieux saints couverts
de sang et de lamentations
Même les îles heureuses s'éclairent
par moments aux flamboiements des fusées.
Le sourire de Bouddha n'est-il pas ironique?
Je veux bien promener
mon petit baluchon de vie
dans les rues étrangères
si les visages s'éclairent d'un sourire
sur mon passage.
Mais cet homme dont vous parliez
n'est-il pas arrivé au carrefour de sa mort?

5 *voix de femme*

Non, car un sourire justement
l'a fait bifurquer vers la vie

1 *voix d'homme*

Pourquoi ne dis-tu pas tout ce que tu sais?

5 *voix de femme*

Celui qui parle ne sait pas
Celui qui sait ne parle pas
disait Lao Tseu.

Questions pour survivre

1

Être là c'est peut-être se déguiser
sous des lampes solaires!
égrener des instantanés le long des ruines
marcher au pas des norias?
Fuit-on vers l'avenir ou vers le passé?
la naissance au bord des lèvres comme une mort
déjà savourée. Tout l'empan du vivre
se déroule à chaque instant. Des maisons
défilent sous mes yeux comme autant de navires
traversés d'étoiles filantes au ralenti
La machinerie sociale désagrège les rêves
les grandes eaux du temps s'insinuent dans les pores
le cinéma ne ment pas
c'est la vraie vie transparente!
Le paraître se promène à la surface des choses
l'oubli coupe dans la pellicule
beau montage!
Donner à voir ce qui se passe
dans les plis du sommeil
l'arbre l'orbe le bruit tout s'annule
seul le corps se remémore sa croissance.

2

Faut-il regarder la photo de l'enfant
au rictus désert
au rictus de théorème inexpliqué?
Déflagration et déchirure
Dent de lait dans la bouche du destin
L'effort de comprendre dévore les entrailles
débusque la mine écarlate
éclatée de la psychiatrie
(la mort du père)
Des jalons sont posés au bord de chaque
prairie sentimentale
l'obscur sème son nom sur chaque
pierre des champs
le verbe engendrer n'a plus de futur
(ainsi le veut l'ego)
Qui donc nourrissons-nous de la foison
des faits et gestes chus d'instants minés?
Qui nous hume ou nous aime?
Marcher dans les contradictions rocailleuses
ne nous avance pas d'un pas
Fuir vers soi-même et ses feuilles…

3

Remanier l'orage pour en faire
(désir d'enfant)
des éclairs au chocolat
Prendre ses distances pour se voir agir
marcher dans un ailleurs de pure fascination
dans un poème qui s'élabore selon ses gènes
qui assemble ses molécules
(sèmes et phonèmes)
mouvements aléatoires et pourtant concertés
selon d'inexistantes destinations
Est-ce vivre cela? est-ce faire surgir
le lent demain au creux de l'aujourd'hui?
Rêver pour soi pour tous
dans la haute fidélité du langage
ouvrir des au-delàs
de vagues latentes d'anémones
des champs de tournesols dans la toundra
Mouvoir le réel mêler tous les horizons
dans la grande roue du langage
est-ce vivre cela?
est-ce vraiment vivre?
Les mots non ouïs sont inutiles…

4

L'attente finit toujours par ouvrir des jardins
La femme qui apparaît lentement
comme la photo dans l'acide
c'est une révélation
La vraie vie est ici
dans l'axe des jours générateurs d'énergie
dans le sol des désirs détournés
(fleurs de cactus)
dans l'instant qui s'éclaire
de regards conjugués au présent
dans la soudaine allégresse
d'une conscience illuminée (dans l'ombre aussi
de ce qui se trame une tempête de gestes sensuels)
Le mot larme s'écrit toujours
à l'encre sympathique
Qui donc parle avec des mots courants
de ce qui finit?
La chair transgresse la cruauté des suicides
(entrer dans le miroir des foules en sens inverse)
mourir de rire provoque un écho
régresser vers l'enfance à cloche-pied
en jouant à la marelle
Aux deux bouts de la vie les portes du néant...

5

Murmurer son liquide plaisir
quand un corps dérive près du sien
est-ce vivre est-ce lentement s'insinuer
dans l'espace secret du devenir?
Fuir peut-être le lancinant psaume
des modernes méditations
l'araignée diurne des menues manies
des trop précis soucis
Dans quel espace jouit-on
quand les mots bêtes nous assaillent?
hypothèque — cuisine — ménage — déménage
hantise des lieux et des phénomènes
Quelqu'un veut bien gémir mais que ce soit de joie
non d'immanentes mélopées
Le manège des mots aménage des moments
     mélodieux!
Savez-vous gouverner votre vie
dans le petit espace qui vous est prescrit?
Aller au-delà au-delà
en restant sur place avec la chaîne des mots
comme talisman?
Est-ce ainsi qu'il faut vivre
quand la fatigue pourrit le pont
pourrit les racines mêmes de l'être?

Un jour le capitaine Amour saura lire
les méridiens de tes mains…

6

D'où venu ce bruit
de charrette fantôme?
Masqué de brume je passe
en saluant le charroi
du jour qui se lève
Macabre est le charroi
de la Grande Roue de la vie
dans les ornières de la faim
Le char et le roi nous tirent
vers la fin de ce monde
(Qui veut engranger des charniers?)
Quel engrais ferait pousser des palmes
là où meurt l'enfant dans les problèmes
non résolus d'une géométrie de la soif?
— La géopolitique des équations inégales —
La stérile terre engendre des déserts
— cancers de sable dont les chameaux
ruminent les mirages —
Les cris d'enfants agonisants

font comme des nuages violets
vus de l'espace — plaies lentes
purulentes sur la tapisserie
des navettes spatiales
L'écoumène se rétrécit — peau
de chagrin du destin des hommes —
Ainsi commence le monde fini

7

Où donc étiez-vous
dans l'embrouillamini des jours?
dans les longues navigations
des corsaires de l'amour?
dans un mot
dans le poème
qui se désagrège
au gré du vent?
Qui suis-je sinon cette houache
chuchotée sur mon passage…
(the wake is waking me)
Contorsions du langage
tant que vous voudrez!
— Sic transit gloria mundi —

Le style macaronique
ne nourrit pas la planète!
Pour des millions d'enfants
l'avenir n'est qu'un petit repas
ou le néant...

8

Et cet hiver qui n'en finit pas...
Aux photos de l'enfance
je n'ai rien à dire
(boules de neige)
Le calme enfin le calme plat
Ce qui outre la parole
Nous avons ramé si longtemps
dans ces eaux du rêve
Passeur des premières passions
quand rien n'engloutissait le rire
Venus d'ailleurs nous allions ailleurs
quand c'est ici que tout se passe!
Où étions-nous dans ces temps anciens?
Faire machine arrière, à quoi bon?
Le pétrole se perd autant
qu'on avance ou qu'on recule

Faire du sur-place
(extrême limite de l'équilibre)
Autrement chavirer dans les rondes
dans l'éternel retour
Qui veut vivre deux fois sa vie?
S'accrocher à ce qui passe au ralenti
Mirer l'amour au miroir de soi-même
avec tous les fantasmes
qui s'écorchent aux angles...

9

Je marche à reculons pour ne pas voir
la mort venir
Ceux qui s'agitent n'ont pas compris
Qui nous parlera d'amour quand
nous serons sourds?
Ce temps je l'avale
je l'ingère et le digère
j'en fais mon lit mon nid
Autrefois c'était hier
toujours l'hiver n'en finissait pas
mais les saisons marchaient au pas
aujourd'hui le temps s'étire
il s'affaisse aux craquelures du givre

Un jour pendant six mois
j'ai vécu au Mexique
une longue journée d'été
La mer stable et changeante
m'apportait sa mélopée de sel
assis sur la plage
je dialoguais avec le réel
L'horizon se faisait existentiel
dans l'eau le nageur
équilibrait la vague et le ciel

10 *Recours à ce qui s'écrit*

Se relire, c'est se revivre
c'est aussi le passé avec
sa marée noire
ses souvenirs fangeux
sa mémoire pleine de plancton
ses vieilles avaries!
Je frappe à la porte du siècle
qui répondra dans vingt ans?
Je parle pour ceux qui meurent
aux frontières du jour
pour toutes ces vies fantomatiques

et planétaires
pour ces bouches cousues avant l'âge
par la famine, le manque de farine
par le bâillon du désert
par le ta ra ta ta des mitraillettes
ou la contrebasse des bazookas

C'est de la race humaine qu'il s'agit!

11

Nul n'augure en ce siècle autant
de désastres que jadis
et pourtant je vous le dis:
nous mourrons de soif
malgré les grands fleuves du monde,
nous mourrons de faim parmi les fruits contaminés,
nous gagnerons la «guerre des étoiles»
pour célébrer la mort de la planète terre
et des vieillards chenus
qui en auront fait un cimetière
La poésie ne me parle plus guère
elle ne subsiste pas aux horreurs de
la guerre

Bien sûr, elle peut évoquer l'épée
la flèche et le javelot
mais non la bombe... la
catastrophe ultime!
La poésie n'y trouve pas son compte
une épitaphe plus fleurie vous
conviendrait mieux
ce sera pour plus tard
s'il reste un être humain ou deux...

Ah que la vie est belle et débilitante
avec ses douceurs et ses échecs
ses plaisirs sous des tentes
de fraîcheur, ses mélanges doux-amers
comme un repas chinois
Et l'espace du rêve nous fait
voyager bien au-delà!

12

Un rien fabrique l'ombre
— l'effort, la fumée —
L'homme nanti s'enfonce
au fond du sombre

il s'assoit en lui-même
autour de lui s'érige un tombeau
Un tremblement de terre m'agite
des fondations jusqu'aux dernières tuiles
la vie soudain se fait tremblement
la terre a ses orgasmes
l'amour se jette dans les bras
de la peur
Dans les chancelleries chancellent
les dictatures
Le lendemain: dénombrer
les morts, délivrer les
victimes sous les débris
déverser des flots d'éloquence
sur les déboires
(Dire que rien n'est comparable
à la férocité des hommes)

13

D'où venus mes vieux démons?
Quoi nous vient de qui
quand il faut nommer les pourquoi?
C'est un autre qui parle

en cette heure assombrie
— celui qui ne vit que la nuit —
La solitude me fait une grande âme
qui se répand dans les ruelles
— fantasme ou poudrerie —
elle fait miauler les chats
et jurer ceux qui en ont assez
de «c'te christ de vie»
La misère se cache dans les coins
poussée par le vent
elle s'entasse — blanche —
dans des lieux secrets
Le misère, c'est à voix basse
qu'elle poudroie
sur la jeunesse et sur
la vieillesse démunie
désunie, diminuée
— Une larme gèle à mon œil —
beau maquillage d'une face
qui ne sait plus faire face au malheur
(à la malemort)

Terre, planète lacunaire

14

La musique passait
navire frissonnant de la proue
à la poupe
La musique passait
    la houle la pluie des
    siècles sur la statue d'obsidienne
    la montée des sanglots dans
    l'antiquité des troglodytes

Temps compté en monnaie
    cliquetis de centimes
Le travail et le rêve: balançoire
    à bercer la destinée

D'où venez-vous avec cette
    figure de runes ce
    sourire de ruines (hagard
    comme un numismate
    sans écus au fond
    des fontaines infortunées)!

15

Ah fuir à jamais cet amoncellement
    de neige dans les jours gris
    le clavier des aurores boréales
    les glaciers en forme d'effroi
    pour inventer la couleur
    ses tisons renaissants ses palmes

Toi toujours prochaine (eau retenue
dans les lagunes)
    me mirer en toi contrée lacustre
    quand se lave la musique
    ruisselant des violoncelles

Un sourire d'enfant étend sa longue plage
    un rire d'enfant agite au ciel
    son cerf-volant
L'avenir tend sa ficelle

Où donc étiez-vous pendant la
    creuse absence dont le tunnel
    dessinait le labyrinthe
    d'une angoisse de renard piégé?

Nous avons repeint le désert en vert
    planté le riz ses calligraphies
    nourricières ses chants aux
    terrasses des montagnes

Harnaché nos forces à la simplicité
    de l'eau — l'humide a comploté
    aux détours des tendresses la
    lente fleur du prunier — Cascade
    et montagne composent un paysage
    le pinceau pense répète réfléchit
    pour que s'étale une vérité — un
    mensonge enfin vrai — sous l'œil
    des futures générations

Nous rêvons l'avenir pour qu'il s'envole
    pour qu'il étende sa buée sur
    les strates du malheur pour
    qu'il nidifie dans la blessure
    du présent pour qu'il renaisse
    à tous les bûchers — brindilles
    d'imaginaire enflammées par
    la foudre — le temps vient le
    temps va le temps évente
    tout l'empan du vierge lendemain
Plutôt il l'invente — vers à soie
    dans son cocon rêvant
    de fil et de brocart

16 *Intermède*

Vous dormez dans les eaux nacrées
vous dormez dans les eaux navrantes d'hier
(la rivière est couverte d'éphémères)
Répétez d'Héraclite l'axiome
    toujours changeant:
«Jamais deux fois dans le même
    fleuve on se baigne
«Jamais une seule fois dans
    le même fleuve...
«Jamais dans un même fleuve
    on se baigne
«Jamais on se baigne sinon
    dans des fleuves toujours fluants»
ainsi va la poésie ainsi vont
    les sanglots et les sèves
(ainsi gire l'énergie)
Le mouvement dénonce la photographie
et l'annule

17

Ce qui élit élide
(apostrophe)
ainsi la langue s'use
détruit ses voyelles
le bateau pareillement en mer
annule la vague
la fait mousser jusqu'à la vergue
sans que s'en offusque une mouette
(assez tergiversé)
c'est d'entropie que parle l'océan
dans sa vague langue houleuse
Le pétrole flambe dans la baie
de Campeche
outre-mer d'autres meurent
de jeûner
plus privés de chlorophylle
que toute la Pologne...
Pourquoi cette mosaïque
de délits qui élident l'être?

18

Dans mon jardin
la capucine se double d'une pensée
la belle-de-jour s'épanouit
au long des murs
(mais les étés me sont comptés
et les hivers plus encore)
Amarante! pourquoi ce mot
dont la fleur m'est inconnue?
Amarante c'est la plante
que plante l'amante
quand elle ne sait plus rien
de l'amant, ni du jour qui vient

L'amer à boire

1

Pour engranger l'écho des futurs
travaux des songes et des villes
ce qui rêve en moi s'éveille
        marche dans mes tempes
le solitaire éclat d'un œil
voit demain ses vases ses varechs
la face tuméfiée des lacs
        lavés de pluies acides
le salpêtre pleure aux parois
        des désirs d'assouvir
        la faim du monde
les poissons tentent trop tard
de fuir l'onde mercurielle
        les plages d'amertume
le chaînon manquant a la forme de l'hameçon
        appâté d'éphémères
l'enfant meurt dans les broussailles
de la soif — aux enchères des mercuriales
des gares en ruines —

2

Quelqu'un quelque part repeint le ciel en rouge
jette au feu le chiffon des mots fait fondre
les alphabets
silence partout au fond des gorges des forges des
    trompettes
(silence de cellophane)
coagulé! l'estuaire des ans
un lent rameur s'enlise dans la grise mémoire
des minoteries des mythes
le cri du feu aura changé
en sel l'amiante des jours une vague
de mazout épelle déjà la nouvelle constellation
l'inconscient sous la paix des scaphandres
l'avion vole bas dans l'espace de l'oubli
la cendre des métamorphoses
sur la pierre un tremblement façonne
l'effacement de l'uranium le vertige
retrouvé comme pomme à l'automne
    dans l'aube femelle
(le chaman monte dans l'arbre de vie
pour recouvrir de chair les os)
le loup le renard le lièvre ôtent leurs
masques millénaires pour rire
aux éclats des miroirs
les chevaux se centaurisent broutent

l'orgueil de naguère
drapeaux canons fanfares fondent en larmes
aux abords des cimetières où grimacent
    les panoplies
recoudre l'avenir plis et tresses tissage
des jours sur la métaphore des villages

3

Cracher tout ce qui se fane aux lèvres
arrondir la mappemonde lancer
des flèches d'eau dans les déserts
    fantasmes de cactus
(la moisissure des jamais)
au front des îles
quand le tonnerre enfle son nuage d'étoupe
ne crains-tu pas la dent de l'éden
la mâchoire du jardin refermé
dans l'ombre du cadran solaire?
qu'attendre d'une fêlure dans le temps
si les outils de l'orage déterrent
    la boulimie des dinosaures?
les hiers à faces d'anges dévastés
(l'astre déboussolé mange le sommeil)

l'ordinateur se file un cocon de
prolégomènes à la lumière du logiciel
    du rayon laser
la raison-araignée engendre sa géométrie
ficelle l'amitié des vents le balancement
des siècles sur les vagues aveugles
jamais plus jamais de théories
    aux yeux creux
de sentences courbes aux nœuds visqueux
de villes survoltées vibrant dansant
croulant sous l'ardeur des météores

4

(l'avenir vient sur des rails de tendresse)
l'énergie des sourires d'enfants le propulse
le soleil couché dans un hamac de mer
    miroite et médite
et la terre
    ses plaies et ses bosses ses avenues
    de rumeurs ses autodafés ses cortèges
    superflus ses famines ses pipelines saignant
    sur la toundra ses machines mégalomanes ses
    banques scellant le silence des monnaies

assez assez
    mitraillons la mémoire
    une lente gerbe de temps aromatise les
    gerçures les débiles défaites l'âcreté
    même des cataclysmes
venez voir le pavot
    sa symphonie sensuelle la chair d'un
    nouveau temps marchons désormais dans
    les rayons d'un poème aux yeux gris-vert
la femme peigne un songe si chuinte la chute
sa chevelure fait la nuit sur son corps sur
les lucioles de ses paroles sur son regard
au beau fixe sur le vertige
entre le sommeil et l'eau
    la pierrerie s'insinue
    perle sur la soie du désir

5

Elle sait voir l'envers du paysage
    la ville aux façades sournoises
    la rue folle plus que la boussole faussée
    la maison dont le toit penche vers la vie

«hommes de l'avenir» je me souviens de vous
à la charnière du siècle pendait la grise aurore
couchée dans la rouille des cimetières d'autos
les frontaliers frappaient à la frontière
    de l'époque — anges dissolus —
    cherchant en vain à cuver la mer Rouge
    le vin séchait au fond des chais
chacun descendait de sa petite vie l'escalier
    en colimaçon croyant grimper dans l'échelle
    pourrie du pouvoir
qui nous débarrassera — disait-on — de
ce qui parasite la lumière ocellée
(l'œil en vain voit)
Les mots nous habillent d' habitudes
qui retrouvera le sens premier
    caché sous le glacis des pierres opalines
    des rites vitrifiés dans l'invulnérable
    éclat de l'obsidienne
écrire — non pas dans les marges car nuls
sont les temps désormais peut-être abolis déjà
les éclairs inscrivent sur la pierre
    ce qu'on peut lire dans un miroir —
    fragments d'imaginaire où la vie court à l'envers

6

Les toujours à genoux sur des dalles d'aurores
des possibles impassibles devant l'horreur future
les vaines déveines
    dont les dés servent
        à recoudre l'ourlet des eaux
        qui sourdent du malheur
le défi infini d'une mer qui s'obstine élague
l'algue — choit —
l'argent ni l'or ne se thésaurisent
    en l'amertume de ces lieux
(englouti néant bulles de balbutiantes fontaines)
Voguons vers ce qui vire au vert dans le lointain
    des vertiges de palmes
annulation des lunaisons marasme dans les mares
    où meurent les marées
(à bas l'albatros béni des balbutiants poètes)
déchiffré affranchi d'aile s'honore le matelot
de ne plus naviguer que sur d'infinis friselis
d'écume décorés d'éponges (d'épaves)

7

Les jalousies se ferment sur la fenêtre de clarté
pour donner à l'enfant l'œil du voyeur

L'espace du dedans — camera oscura — se peuple
de rayons à l'envers lente fabulation d'un monde
qui n'existe pas sauf peut-être dans les songes
de ceux qui s'en croient les maîtres

Partir seul sur l'océan c'est annuler le temps c'est
naviguer déjà sur l'éternité faite de vagues instants
c'est fuir la fin du monde en soi-même murmurant
son ultime message

Mégalomane l'espace constamment tisse son
infinie toile de lumière

L'œil seul l'œil perçoit ce qui se trame
dans cette imaginaire passementerie au fil
des mirages car c'est bien nous qui inventons
les mondes selon nos regards d'huîtres perlières

D'où venue cette ombre mortelle peut-être à travers
les jalousies vitrifiées des amours anciennes? Voyeur
l'œil de l'enfant regarde le monde à l'envers filtré
par le treillis des chevelures de femmes

8

Le foin les odeurs c'est l'animal en toi qui se vautre
dans la vallée — celle où le poulain au galop jette
sa gourme — qui cherche à contretemps les images
   d'antan

(L'avenir te fait des signes de cambouis sur
une planète enrobée de goudron — goélands englués)

Parti depuis de nombreux hiers vers moi-même en
   face de moi
me voici — les ans masquent mes photos personne ne
   ressemble
à personne (ni surtout à moi-même) magma de traits
   tordus
par l'âge — mais le ravage a commencé bien avant
   l'âge —
car je remonte rivières et chutes comme un saumon
vers la frayère

L'illusion femelle de ne pas mourir annule ma malemort

Dix poèmes quasi chinois

Note liminaire

Quand la poésie n'est plus donnée, il faut la prendre. C'est l'âge des subterfuges, peut-être aussi des découvertes au-delà de l'innocence.

En notre temps, un monde chavire, de l'Orient à l'Occident — grand voyage intérieur dont Rimbaud fut l'un des annonciateurs. Quittant ce qu'il appelait «les marais occidentaux», il s'élançait vers la «pensée de la sagesse de l'Orient, la patrie primitive». Ces marais occidentaux sont devenus mers et baignent désormais les rives de l'Orient. Vague ou vaguelette, la poésie occidentale a pénétré la vieille poésie chinoise, depuis les années vingt et l'a fait éclater. Ce fut la première révolution culturelle en Chine[1]. Par un choc en retour, certains Occidentaux ont pris conscience de la poésie chinoise. Le seul moyen pour qui n'est pas sinologue: la traduction. Dans cet échange, la poésie chinoise prenait un visage occidental. Dans les traductions elle nous apparaissait, au mieux, comme une poésie descriptive; au pire, comme un paravent couvert de symboles naïfs ou comme des éventails d'une préciosité archaïque. Traduits lourdement, les poèmes

---

1. Consulter, à ce sujet, le très savant ouvrage de Michelle Loi: *Roseaux sur le mur,* «Les poètes occidentalistes chinois, 1919-1949», Éditions Gallimard, 1971.

ne donnaient qu'une transcription caricaturale. Seuls certains poètes, Ezra Pound notamment, en soupçonnaient la richesse d'invention et le possible apport à une poésie occidentale qui ne cessait de s'exténuer.

(Ici, j'avertis mes lecteurs qu'il ne s'agit pas d'une présence de la poésie au monde, mais de la poésie comme mode d'appréhension de ce monde et du langage.)

Ceci est très important, car la poésie chinoise traditionnelle ne surgit pas uniquement de la vision du monde du poète, mais aussi d'une conception du monde inscrite dans la pensée chinoise.

Les traductions comparées (en français et en anglais) me faisaient soupçonner que cette poésie (encore plus que toute autre) était proprement «intraduisible», les deux systèmes de langue et de pensée ne coïncidant en aucun point.

D'abord il y a la calligraphie qui joue un si grand rôle dans la poésie chinoise. Ainsi, sans pouvoir lire un seul caractère du poème «Neige» de Mao, il m'a toujours semblé, dans son fac-similé du manuscrit, être l'évocation d'une chute de neige. Seuls Apollinaire, dans ses *Calligrammes,* ou certaines typographies de poésie concrète peuvent nous donner une idée de ce phénomène[2]. Ensuite, il y a la forme de la

2. Ce n'est pas pour rien que la calligraphie est considérée, en Chine, comme l'un des beaux-arts.

langue (poétique) traditionnelle: monosyllabique ou parfois dissyllabique, ce qui permet une très grande concision scripturale et phonétique; enfin, il y a les tons (au moins quatre) qui changent le sens du même phonème. J'ai compris toutes ces diffitultés quand j'ai eu accès à des «traductions» littérales: mot à mot, ou pluôt, signe à signe[3]. Si l'on ajoute à cela la (ou les) symbolique(s) particulière(s) à la poésie chinoise, les règles prosodiques régissant les différentes formes, on multiplie, si l'on peut dire, l'impossibilité de la traduction. Mais ces difficultés nous font également prendre conscience des virtualités de la poésie chinoise.

Pour un poète occidental, la leçon essentielle qu'on en pourrait tirer serait au niveau de l'économie de la langue ou d'un art de l'ellipse.

Or les poésies du Moyen Âge et de la Renaissance donnent de très nombreux exemples de ces qualités du langage poétique: mots courts, mono ou dissyllabiques; ellipses par suppression de l'article, de la préposition, etc.; tours syntaxiques inusités (pour nous), emploi de l'infinitif (comme en chinois) qui laisse incertain quant au temps de l'action, etc. Pen-

---

3. Lire l'article de François Cheng dans *La traversée des signes,* collection «Tel Quel» aux éditions du Seuil, 1975, et celui de Claude Roy, dans le numéro 19 du collectif *Change,* intitulé *Le vain travail de «traduire» la poésie chinoise,* où l'on trouve justement un poème rendu «mot à mot» et ses diverses transcriptions.

sons à Rutebeuf, à Villon, dans le texte original, et même à Tristan L'Hermite qui écrit:

> Fais-moi boire au creux de ta main
> Si l'eau n'en dissout point la neige.

Et même au fameux alexandrin entièrement monosyllabique de Racine:

> Le jour n'est pas plus pur que le fond de mon
> cœur.

On pourrait multiplier les citations de vers beaucoup moins connus qui ont à nos oreilles occidentales une résonance chinoise. Rétrospectivement, je trouve à certains vers de mon poème «Sémaphore» un petit air chinois:

> Signes, silence, fumées
> Songe désert, page blanche…

ou bien encore:

> Nuage neige nuit
> Le mot naître gèle dans la bouche…

Mais la dimension qui manque presque toujours, c'est celle du parallélisme qui engendre un espace au sein de la temporalité dans certaines formes poétiques — notamment le lü-shi — selon François Cheng. «Le parallélisme, explique-t-il, n'est pas une simple répétition, il se révèle comme une tentative d'organisation spatiale des signes au sein même de la linéarité.» Il cite en exemple les deux vers suivants:

> Lune claire parmi les pins luire
> Source fraîche sur les rochers couler.

Cette «transcription» ne donne sans doute qu'une faible idée de ce que serait l'original en chinois.

Cependant, on a le sentiment que deux mondes s'instaurent et se répondent presque terme à terme (lune — source, claire — fraîche, pins — rochers, luire — couler) dans un parallélisme global fait de deux éléments fluides: la lumière et l'onde. Pourtant, ce distique n'évoque qu'un seul paysage. Plus loin, Cheng note: «Nous n'oublions pas que le lü-shi comporte, non pas un mais deux distiques de vers parallèles (2e et 3e); et que ces deux distiques sont à leur tour replacés dans un contexte linéaire, puisqu'ils sont encadrés de distiques non parallèles (1er et 4e).» Je n'ai pas réussi cela!

Bien entendu, je suis obligé de le croire sur parole, mais je trouve passionnant ce problème du poème qui reconstitue l'espace-temps. C'est un miracle étranger à la poésie occidentale qui poursuit une trajectoire — même éclatée — dans un «progrès» indéfini. Les expériences de spatialisation du poème faites par Mallarmé dans *Un coup de dés...* ne sont pas du même ordre.

Ces «Dix poèmes quasi chinois» sont donc nés d'un certain mimétisme que je savais, au départ, d'une efficacité très relative à cause de l'écart entre les deux langues, entre les symboliques, etc. Dans un article très éclairant publié dans le numéro 19 de la revue *Change* (et dédié à notre ami commun le peintre Zao Wou-ki), Claude Roy explique «Le vain travail de traduire la poésie chinoise». C'est peut-être aussi un «vain travail» que de tenter de s'en inspirer, la poésie étant «traduction» d'une certaine réalité. Être perméable à l'influence de la poésie chinoise, ce n'est pas une nouvelle mode. C'est un moyen de rechecher profondément dans sa propre tradition et dans sa langue une façon d'exprimer ses propres intuitions. La poésie étant forme, elle ne saurait échapper à cette problématique parmi tant d'autres.

Hiver brise roses roseaux
Fait fuir nuages oies sauvages
    Cap-Tourmente gel nul cri
    Fleuve miroir seul du ciel

    Jaune le soir vers nuit blanche
    Luit lune à l'est soleil rouge
Chanter maison claire amis
Foyer boire vin nouveau

L'onde vague vagues vagues
Rides du ciel bleu sans rides
    Fruits de mer pris à la mer
    Myes marée remise aux plages

    Repas repus repos joie
    Ventre rempli ne dit mot
Vin comme vent met la voile
Le fol vole fou de bassan

Nager corps nus temps lisse glisse
Haut le ciel n'en rougit pas
    L'eau mire un beau cri lotus
    Mont répète écho fleurit

Le sage se tait mots clairs
Les yeux parlent neige fond
L'abeille entre fleur et miel
L'honneur entre terre et ciel

Tombe pluie et fouette vent
Vie vraie veut mettre à mal
L'homme fort et l'homme faible
Roc dur ou plaine de lœss

L'oiseau nu choit de son nid
Duvet d'hier tombe au sol
Que le jour pourtant l'emporte
Vers le grand âge du large

Feuille vire au vent vert verte
C'est le chant le temps mouvant
La brume sur l'eau s'en va
Le calme vient le lac voit

Larme à l'œil le monde embué
Larme l'air puits sous la pluie
Page blanche signes noirs
Corbeaux volent vers le sud

Vie vin feu pain les amis
La danse au milieu du pays
 Barques au loin font des signes
 Sur la rive naît un feu

 Naît la vie le pain le vin
 Et naissent les dix mille êtres
Le neuf vient de ce qui meurt
C'est la grande loi du tao

Tout ce qu'emporte le temps
C'est loin très loin mais devant
 Marche la vie ses enfants
 Ses hommes vivants ses rêves

 Pommiers en fleurs lents pétales
 Neigent sur le sol de mai
La sève monte elle éclate
Et se hâte vers ses fruits

Mont-Tremblant des lièvres signent
Pistes en zigzag leurs lignes
 D'amour de piège et de ruses
 Le paysage sage est page

Le pays dort sous la neige
Pays poème corps blanc
Traces de ce qui s'écrit
Dessins de mes jeux d'enfant

Froid glace et mort des pôles
L'amour fleuve espoir des peuples
Tombe le soir le soleil
Va vers la nuit le vieux sage

Pas à pas va vers le pont
Vers la voie va vers la voie
Du non-retour qui le mène
Au pays du long sommeil

Loin très loin la terre brûle
Rien plus rien grès grains de sable
Dans son œil les monts les cimes
Sont brume du temps sans fin

Papillon il se rêve homme
Homme il n'est que papillon
L'antre d'un gîte se creuse
Au flanc d'un mont médité

Images d'un coma

AVERTISSEMENT

Ces images sont aussi près que possible d'une réalité que j'ai vécue pendant une semaine. Bien sûr, le système des fantasmes du coma et celui du langage sont de deux ordres différents. Il n'y a donc pas transcription exacte, identité. Les images brutes sont brouillées par la mémoire et recréées dans l'acte poétique. Par ailleurs, j'ai tenté de conserver la structure de leur enchaînement et le climat dans lequel elles baignent.

Ces textes doivent être lus comme des documents cliniques. Je les dédie à mon amie Anne, pour sa présence décisive, à mon médecin, le Dr Georges Garneau, si attentif aux rapports psychosomatiques, ainsi qu'aux infirmiers et infirmières de l'hôpital Sainte-Jeanne-d'Arc, qui m'ont soigné avec un irréprochable dévouement et une authentique sympathie humaine.

COMA UN

Peut-être. Si seulement je pouvais. Je connais la formule. Mais... mais j'ai les mains attachées, liées... je ne peux pas bouger. Pourtant j'ai si soif. Je connais la formule... si seulement je pouvais atteindre... toucher la table car je... la plus grande... c'est impossible... une goutte seulement... soif de ma vie... pourtant je connais... dans l'ombre qui m'entoure ah oui j'ai tout ce qu'il faut... il suffit d'une simple transformation hydro... (chimique) oxy... je... j'occis... gène... Je connais... avec beaucoup d'efforts je tente de me tourner dans mon lit vers... je connais la table où... H_2O... une bouteille avec un peu d'ingéniosité... la bouche pâteuse... une réaction c'est ça, non, le professeur... une synthèse le procédé d'électrolyse, non, pas une analyse... la reconstitution de l'EAU.

Le *mot* même retrouvé comme une condensation du brouillard me coule sur la langue... mot...
tom...
tom...
tombe goutte à goutte dans les replis d'un inconscient qui s'i-r-i-s-e. Et commence la ronde autour d'un trophée d'automates au temps de Noël je m'étonne... Eaton... lumière d'un grand magasin... carrousel... c'est moi couché qui tourne autour de la pyramide des

personnages pareils à des poupées plus grandes que nature... mégaphone moi... voix... vertige... tige de verre... et toi... étoile... et... toile de fond pour les trois Rois Fro-Mages.

Tout est hors saison parce que je tourne plus vite que la Terre! Je suis dans un mi-lieu parce que l'ici et maintenant sont ailleurs...

COMA DEUX

Se peut-il que le néant soit si peuplé d'images? Et de voix? «Ne bougez pas…» Comment le pourrais-je?

Dans un baraquement délabré nous sommes tous blessés. La bataille a été dure… uniformes en guenilles… membres en charpie. Pourtant, on sonne le rassemblement sous une pluie grise qui nous maquille comme des cadavres. Nous sommes sans doute des rescapés de la guerre de Cent Ans… en uniformes de soldats français de la guerre de 1914-1918 quelque part sur les plaines d'Abraham. C'est la dernière bataille contre les Anglais.

La pluie tombe drue et noire comme sur un fusain… c'est à peine si mes compagnons sont esquissés… peut-être mourront-ils sans avoir connu l'existence… la plénitude de l'être! Les fusils sont rouillés et pleins de toiles d'araignées… les visages sont des mares… des cloaques verts… couverts de mousse et quand les bouches répondent «présent» le mot s'illumine un petit instant… mouche à feu vite noyée dans un silence de mort.

Le caporal s'avance comme une note en marge d'un texte… terrible réalité dans ce brouillard de signes. Ses paroles ne sont pas lumineuses… seulement audibles. D'un coup de sabre elles déchirent le tissu du silence: «Je serai bref»…

Hagard je lui réponds sans savoir pourquoi: «Ça tombe bien, je n'aime pas les longs discours.» Cela sort de ma bouche comme une rumeur pâteuse... ruban sonore au ralenti. J'entends crier une corneille, non, c'est le caporal ou le général qui vient de crier: «À l'attaque.»

Et le fusain devient noir de suie...

COMA TROIS

Ce fut l'instant de la plus étrange visite dans un monde… en fait nous étions dans un monde sous-marin… ils sont arrivés avec leurs sourires d'algues… Claude Gauvreau et Jean-Yves… leurs mouvements spongieux, leurs paroles de bulles. Ils se tenaient peut-être par la main? Mes souvenirs s'embrouillent quand je pense à ces deux êtres qui me furent chers à des titres différents, mais nous baignions dans une même sympathie aquatique, dans une lymphe de vases communicants.

Pourtant je n'ai rien compris à leur message. C'était avant leur grand bond dans le vide et tous les deux me tenaient un langage d'irrémédiable prophétie. Leurs larmes se mêlaient au sel marin et leurs gestes de nageurs… au ralenti… me montraient le filet qui leur interdisait l'accès d'un monde où la haine tentaculaire des pieuvres ne viendrait plus les étouffer… la pieuvre de l'efficacité… la pieuvre du destin cellulaire… la pieuvre biochimique des amours dérisoires… la pieuvre des avatars de la vie vécue telle que tout le monde voudrait qu'on la vive parce que c'est comme ça…

«Nous en avons la *pieuvre*… la vie ne vaut pas la peine d'être vécue», me disait Claude Gauvreau.

«Nous partons vers un autre monde, s'il en existe.»
Puis j'ai cru entendre dans un gargouillement le mot
terrible de Villiers de l'Isle-Adam: «Nous nous en sou-
viendrons de cette planète.» Et avec des mouvements
de nymphes, tous les deux sont partis... au-delà du
filet.

COMA QUATRE

Que pouvaient donc signifier ces chasses à courre et ces déploiements de vénerie... pour moi qui n'ai jamais tenu un fusil? C'est bien simple: j'étais le gibier... Était-ce une malédiction pour avoir lu jadis les terribles *Récits d'un chasseur* de Tourguéniev? Chevreuil d'une cérémonie expiatoire... d'un rite... d'un rituel? Ou plus exactement fantasme d'une stupide théorie freudienne qui ferait courir dans les plaines de l'inconscient des libidos percluses sous la mitraille de la psychanalyse?

Oui, j'étais attaché... on m'avait lié... peut-être une jambe à la main ou les deux mains au sexe ou les deux pieds ensemble (en fait j'avais les poignets ligotés aux montants de mon lit d'hôpital) et les cors de chasse sonnaient et les chevaux piaffaient et la meute aboyait et la voix criait: «Ne bougez pas.» (J'ai appris plus tard qu'il s'agissait de la voix de mon infirmier.) Une odeur de purin me prenait aux narines et j'avais la nausée.

Et la course commençait, mais ce n'était pas vraiment moi que l'on pourchassait. Sous un ciel assourdissant de soleil, je m'affaissais dans une source où venaient boire fraternellement tous les animaux de la forêt... je n'étais captif que des liens d'un autre âge... d'un autre paysage... un camouflage de taches lumineuses sous les ombrages me mettait à l'abri de tous les débusquements.

En boitant... à bout de souffle... j'arrivais au lieu de rendez-vous des chasseurs. On me servait à boire, mais je ne pouvais réprimer un mouvement d'évacuation de toutes mes entrailles... je chiais abondamment.

COMA CINQ

Puis sont arrivés les Indiens. Ils n'étaient pas vraiment là. On me disait que la rivière les avait emportés à la dérive, et que personne ne parvenait à les retrouver. Dans la nuit des voix criaient, mais en vain, car personne ne connaissait leur langage. Ils dérivaient au fil d'une eau sans nom. On me disait que c'est ainsi que se perdent les races...

Le sauvetage. Peut-on savoir ce qui se cache sous les remous des tourbillons... les rapides où les rocs dorment comme des ancêtres réclamant leur dû de tabac... les écumes plus blanches que les ossements de bêtes séchant aux arbres chamaniques?

Le clapotement avait sa source dans tout mon être. Je dormais sans dormir, de ce terrible sommeil éveillé qui vous emplit la bouche, les yeux, les oreilles de tout un monde parallèle, dont l'existence n'est attestée que dans les légendes.

Et c'est alors que nous sommes partis à la recherche des Indiens... je dis nous car ma mère m'accompagnait dans le canot d'écorce qui portait nos deux vies comme le souffle porte la parole... Ma mère savait les mots qu'il fallait pour secourir la tribu perdue.

Longtemps, nous avons navigué, puis ma mère a crié: «Iaoué». Les Indiens ont répondu: «Iro koué»... et c'est ainsi que nous les avons retrouvés.

COMA SIX

J'avais sur la poitrine mon talisman de chaman et je volais... talisman de cuivre ou d'étain, je ne sais, mais je volais au-dessus du village d'Odanak, à l'horizontale, précédé par le hurlement de trois siècles d'histoire.

... regards de squelettes, tombeaux ouverts... je ne savais pas reconnaître les ossements indiens des ossements français. La mort n'est pas raciste. Je voyais se réaliser le communisme intégral de la tombe, après la destruction du communisme primitif des tribus. Je me souvenais du temps où la terre et les eaux appartenaient à tous dans ces territoires sans cadastre où bouillonnait la fraternité compétitive des clans. Est-ce qu'en moi s'agitaient des idées?

Non, je n'avais pas d'idées. Le coma me mêlait à l'humus. Je devenais feuille qui fuit, feuille qui tombe à l'automne. Je me disais: «La vie n'est qu'un mauvais moment à passer.»

Au-dessus de moi s'agitaient les insectes et leurs royaumes.

COMA SEPT

Où suis-je? Ailleurs...

On n'est vraiment jamais chez soi. Toujours nous déloge le devoir. Partout des tentacules me traînent, me tirent, me transportent dans des pays d'algues et de factures.

Un jour, je mourrai et je serai libre! Personne, jamais plus, ne pourra me poursuivre, me réclamer des comptes, me dire de ne plus mettre les doigts dans mon nez, car je n'aurai plus de nez, ni de doigts.

Et je dormirai pendant des siècles sans que ma paresse ne paraisse, ni n'étonne personne. Je rirai du grand rire des cadavres, en silence, mais tous les vivants sauront que je ris d'eux, parce qu'ils s'agitent, férocement, pour arriver jusqu'à moi, jusqu'à mon rire silencieux.

En attendant, vivez, vivez à toute allure, sans rime ni raison, car autrement... les possibles s'amenuisent.

Je ne suis pas encore du côté de la mort. Des nuages flétrissent le soleil, gros globe cendreux qui roule sans rayons. Qui me réchauffera si le soleil s'éteint? Les cosmogonies font des vagues avec les milliards de morts humains, ceux de la Chine et de l'Inde, ceux d'Afrique et d'Océanie, ceux d'Europe et d'Amérique, et je suis une goutte dans cet océan. Pourtant la vie me berce encore…

COMA HUIT

Le pire, c'est de ne pouvoir bouger.

Je voyais bien qu'il se passait quelque chose sur la table éclairée d'une lueur filtrant à travers les siècles. Mouvements lents, gélatineux, partie de poker des ombres. Les globules rouges passent par le cœur avec lenteur. Signaux d'arrêt... stop.

Si on me découvre en vie, je suis mort; si on me découvre mort, je vivrai. Voilà ma devise!

Je suis dans un entonnoir, et le renard arrivera trop tard. Piège! Chasseur chassé, rien ne pourra me délivrer du gel. Parmi toute cette viande sanglante, où suis-je? sinon dans une chambre froide. L e f r o i d m e c o n s t i t u e p r i s o n n i e r d e m e s m e m b r e s b r r r

Poèmes noirs
de mes nuits blanches

(Écrits dans des moments
de défaillances mentales
et sentimentales)

Bouche cousue
   silence
      manger
         vie

Pores ouverts
   pluie en dedans
Froid jusqu'aux os
Quelque part main
      tremblote
   Vent de mémoire
Livide
   (lit vide)
      tombeau déjà
Souvenirs saignent
   quelqu'un se cherche
très loin de lui-même
   cris assourdis dans le crâne
Course à corps perdu
l'hyper gagne
      l'hiver vient
la neige
   et son manège.

Vivre à bride abattue
    carrousels et sortilèges
Où sont les cartisanes d'antan?
    Le fil d'or s'est rompu
dentelle ajourée
nul jour ne luit plus
Sourires tombés
       au fond d'un puits
sourires noyés
       dans la moire
Où? quand? jamais plus?
         peut-être!
le miroir suinte
       une buée de larmes
iris répand son odeur d'irone
        ironie!
Mais où donc
où sont les cartisanes d'antan?
Litanie du sommeil
       kimono brodé d'oubli
Pour rire
    écrire un poème en dormant.

Valium   hostie
          des névroses
insomniaque maniaque
              démoniaque
Amor mio no te recuerdas?
«Mas vale un pájaro en la mano
          que cien volando.»
(Fable amère)
Les oies blanches saignent
          dans le soleil couchant
les rêves s'écrasent
          sur un phare de nuit
mots, mots crevés à la dérive
          sur des phrases sans fond
(Le poisson ses bulles
          paroles sans son)
le mirage de ce visage
          dans l'eau
          ne me dit rien qui vaille.

En vain le vin
          (dans vivre voir ivre)
me porte sur sa rouge vague
(je dis me porte et je dis vague)
navré je suis navré
          (voir *Le Petit Robert)*
Avec ces gribouillis
          j'essaie
          de me créer une nuit
une vraie nuit noire
          carré noir sur noir
               (de Malevitch)
Par les fissures du temps
          toujours
               cette lumière blanche
ombres mouvantes
          sous la porte
Passage d'une lampe
          chuchotements indistincts
et le carré blanc sur blanc
               (de Malevitch)
ce vide enfin présent
          d'une galaxie
à des milliards d'années-lumière
          de l'heure qui sonne.

Le projecteur en marche arrière
        fait refaire à l'envers
les gestes déjà tissés
— il détricote la vie —
(c'est pourquoi j'ai maille
                à partir)
Revenir d'où l'on vient
        revoir des trous noirs
faux pas, culbutes
                mimographie
revivre la vie à l'envers
        tout l'avenir dans le dos
(havresac vide)
breloques panoplies
                bric-à-brac
cliquetis de petits instants
                cristallins
rires perdus
        grelots pendus
                aux joies éperdues
Je me retourne un enfant
        pareil à moi
                m'ouvre les bras
me montre sa détresse
                à cœur ouvert.

Un poulpe inonde
　　son habitat
　　　　d'encre de Chine
… il disparaît dans le noir
écriture de silence
　　comment écrire dans le noir?
extrême mythologie de la nuit
miracle! revoir le jour!
Les ormes dorment
　　grands parasols sous le soleil
Cheminées
　　　　feux de Bengale
　　　　　des hydrocarbures
pollution du fleuve
　　qui frémit sous la lente
　　　　　poussée des algues
Un jour il mourra comme moi
plein de rêves de poissons
　　plein de poisons
que l'eau putride
　　n'aura pas pu laver.

Tenir le poème à bout de bras
        rien à voir avec moi!
(L'amour mot maudit)
Je compose d'ocre et d'or
un paysage interdit
Bannir ceux qu'on aime
inventer des mots nouveaux
triturer la langue la tourner
sept fois dans la bouche
        en faire des nœuds
(ne plus rien dire)
Enfin vint le poète muet
mûr pour les métamorphoses...
a rose is a rose is a rose...
        (so what?)
Mi canción no te preocupas
muy bien... Ailleurs je chanterai
ce mal malveillant qui
                m'obsède
anyway ce monde est foutu! que
veux-tu dire de plus?

Poèmes non transcriptions
    mais fugues fugaces
(Les mots ne sont pas encore éclatés)
Tout finira par finir
(Les maux ne sont pas encore écartés)
Si j'avance lentement
    c'est que le labyrinthe
        est mal éclairé
J'écris dans la nuit
quelqu'un veut-il
    me tendre la main?
Alors… laissez-moi seul trouver
          mon chemin
Je vous aime femmes
    avec votre petit vagin
vos lèvres calmes vos yeux
    pâles de petit matin
ne me laissez pas périr
    dans ces sables mouvants
grain de sable
        solitude
Pourquoi crier quand
toutes les oreilles sont bouchées?

D'accord!
    Rien ce n'est pas grand-chose
pourtant cette pluie qui vient
ce bruit ces gouttes ces
              métamorphoses
cette vie qui vient
        on ne sait d'où
ce novembre qui annonce déjà
        un mois d'août
l'hiver de fer-blanc
        va fondre aux feux d'avril
tout change et tout renaît
        dans nos pays de neige
l'homme du nord a pour raisons
        les saisons
et la femme sait bien qu'un jour
        fondra la neige
pour que le printemps relance
        ses manèges
la pluie l'eau la nage
        et l'âge l'âge l'âge…

Que dis-je?

       rien

Félibres félibriges

il ne s'agit que de poésie

rien à voir avec ces affreux

          fébriles

ces «anars» qui veulent que

          tout brûle

(j'écris tranquillement mon petit poème)

Je vous aime, je vous aime, je…

          point de haine

moi mon propos c'est la laine

l'agneau qui vient de naître

un jour je bêlerai mes

          transhumances

et tous les bouchers du monde

          seront pris de transes

je n'avais rien à dire

          sauf ce bêlement

que je répète en agneau mineur

          bêtement.

Poèmes épars

VOYAGES (fragments)

Mouche peut-être?
sur la pomme-terre
Insecte en tout cas
Et partout d'autres hommes ou femmes
dans la transgression des filets
Le temps nous est compté comme l'espace!
La grande lagune océane et puis le sol
le sol ailleurs «soleil»
Ici la neige nous bâillonne
                paroles libres comme l'air
                glaçons, stalactites de mots
le bonheur bleu ailleurs
                se balance au ressac
La navette spatiale tisse un treillis
                ozone
où vieillissent les eaux-de-vie
Jamais s'anordit mon désir
                Sud-sud-est
pour fuir le noroît
                Zihuatanejo
Ou alors Agadir, Maroc
et plus loin Tantan plage
ailleurs, Arenas blancas
                sables blancs, Cuba

Mexico et plus haut le Nevado
Partout des amis, des femmes des hommes
       Mourir
au bout du monde (vieille expression
qui ne veut plus rien dire)
La Chine toujours à découvrir
       maotaï
Ses milliers de sémaphores
       taï tchi
leurs lents balancements retardent
chaque jour d'une seconde
       la rotation de la terre
L'Espagne et son Prado
       grande banderille
fichée dans l'histoire de la peinture
En Italie rien ne m'émeut comme la mort
       des Étrusques
sauf peut-être la lente agonie de Venise
       dans la pollution des lagunes…
La pomme-terre est amère dans les affreuses
       terres africaines
dans les pays de la soif et de la famine
cadran solaire des envahissants déserts
       tic-tac des migrations
vers nulle part. Sombre continent du soleil noir
       Ah que la neige neige

dans ce nord hyperboréen abhorré pour que renaisse
peut-être un printemps

(décembre 1985)

PARFUMS

Les parfums sont alchimie
musique musquée
grandes orgues des odeurs

*

L'odorat fait voyager
— magique mémoire —
sur le fleuve des effluves

*

Par les résines en larmes
le temps retrouvé
reflue à la source sacrée

*

De Sumer jusqu'à Rome
myrrhe et cinnamome
enivrent l'essaim des dieux

*

Les momies miment la vie
sous des siècles de bandelettes
exhalaison d'aromates
aux enfleurages d'éternité

*

Médecine et magie mêlent
pour l'extrême-onction
les balsamiques rituels

*

Arbres odoriférants
— subtiles voix des choses —
connaissance de l'essence

*

Un bouquet c'est babillage…
mais que dit la rose
en pleurant ses pétales?

*

(Langage des fleurs, dit-on)
— exprimer la quintessence
d'un absolu évanescent

*

(Lavande jasmin lilas)
notes de tête — chant —
la plainte blanche du muguet
fait frémir tout un printemps

*

Éros blesse de ses flèches…
mais il lance des fragrances
quand il se change en Cupidon

*

Humer un passé parfumé
— fantômes d'odeurs —
corps volatil du bonheur … fumée

VOISINAGE

Vie vaine
van de mémoire
cicatrices
tout le corps grimoire
face qui va
            vers l'effacement
l'âge du sage (dit-on)
Le voisin n'est plus là
j'entends des silences d'éternité
        derrière les rideaux fermés
s'est joué la tragédie
        un peuple d'ombres applaudit
dans le vide
il fait beau m'a-t-il dit
        un jour de pluie
le temps luit
            la vie s'enfuit
Il est tard me dit l'aveugle   j'espère
qu'ils vont allumer les réverbères

LE TEMPS COURT

Les ruines sont partout
vues d'un certain âge
le paysage se régénère comme il peut
le sphinx en moi s'ensable

*

Ouvrir la porte aux lueurs d'automne
aux rousses odeurs des astres
à la mélopée brune des
mélancolies   à la chaste présence
des désirs inassouvis
          éclate mage et mange
                    ta mémoire
demain t'embarque
          sur un bateau sans voile
crever des treillis d'écritures
prendre une main qui surnage
                    ô naufrage
la plus grande douleur fait tache
d'encre sur ma vie   décalcomanie
je te regarde avec des yeux

de seiche à travers un brouillard
la marée marche vers son destin
qui finira quand le voudra
la lune   et ses phases

*

Le monde quel est-il? sinon
le petit jour qui t'éveille (orange)
à travers un plastique
la chaleur pourtant d'une femme
te dit bonjour dans une langue
de velours langue bizarre que
je traduis avec des mots bâtards
        l'instant rassemblé
                courtepointe
révèle une sorte d'éternité
qui fait des plis vers
        une enfance retrouvée

*

Ouvrez les écluses car rien de bien
ne vient de ces trop prochains mirages
de la ville que t'en semble-t-il?
Elle m'accueille avec ses bazars
ses cafés ses gares
ses galaxies de boutons
                    dans les boutiques
ses néons aux frontons
                    des échoppes
(je rêve d'écrire un poème en rond
comme un Big Mac incomestible)

TAÏ TCHI

Enrobement de l'angoisse
lutte contre l'ombre
corps tendu avec une vigueur
    de chute qui s'élève
lents tournoiements
      à la recherche de soi-même
yin et yang confondant
           ciel et terre
palper les points cardinaux
           en équilibre
virer du nord au sud
    chercher possible présence
           au fond de l'air
avec des doigts tremblants
    capter l'énergie primitive
tourner virer virevolter
           navire au vent
recoudre à gestes lents
           les longs filaments
           de nos âmes éparses
vaincre l'invisible
           l'inaudible assourdi
qui assaillent nos vies

*

gestes précis
       vibrations de violons
violence muette
       des accords concertés
lente maturation
       esprit qui s'épanouit
au rythme des mouvements
       rose effeuillée au ralenti
marche et pourtant danse
       fragile déploiement de corolles
enchaînement/déchaînement
       défense du corps encerclé
stratagème du singe
       «pirouettes, par hasard poésie»
sexe du sextant
       chacun s'oriente
       vers soi-même
et vers les autres
       dont il perçoit la floraison
vers de nouvelles saisons
havre enfin après ces vents
       de vie violente

*

l'équilibre s'instaure
        l'esprit ne vacille plus
lampe désormais la main
        feu dont les volutes se déroulent
selon l'ordonnance des pas
        l'être retrouve son âtre
méditation du corps
                médiation
l'ouverture des bras
        accueille le monde
                et l'abolit
dans une savante giration
        aucune ouverture pour l'ennemi
sourire pour les amis
        dont les gestes sont même langage
pourtant personnelle iconographie
        chacun investit l'espace
écrit sa vie avec cet alphabet
                de vêtements divers
qui se meuvent selon les mouvements
        du taï tchi tao

VISITE AU CAP TOURMENTE

Pour Lise D.

Ce qui fut multiple splendeur
m'arrime à toi
à ta toison.
Deux corps salubres partent pour
un long voyage
(ils se disent oui
du visage au rivage
du pistil au paysage)
Le vent chante même si le cap Tourmente
n'a pas d'oiseaux.
Ta face m'ouvre tout un printemps
De vieux hivers tombent (leur neige)
Un rayon de soleil tout à coup
déchire le temps
et nous sommes deux dans
le même instant.
Ton sourire éclaire le fleuve
Tôt ou tard les oiseaux seront là
pour piailler leur vie.
Les oies blanches parlent d'un long voyage
et d'un éternel retour
(éternel et provisoire)

(5 mai 1980)

123

VIE TÉLÉVISIONNAIRE

Au loin de mon oreille se meurt
                    la rumeur
        la ville
            contre la fenêtre
l'été coule dans les racines
Chômer,
        ô mort lente
                goutte à goutte s'affadit
Le jour.
        D'abord, plein soleil!
Isotopes irradiant l'image intérieure
Joies au ralenti
                Symphonie des cinq sens
Spectacle total
                Monde toutes veines ouvertes
Ah foule aveugle striée de klaxons
Quelle taie neige sur l'œil de l'homme?
On ne voit plus le soleil qu'à la télévision
Vie télévisionnaire...

MYTHOLOGIE MODERNE

J'ai vécu à l'âge où les chevaux
        sont devenus mythologiques
Vingtième siècle
     porte battante
        ouverte sur quel espace?
La rumeur des moteurs couvre
        les hennissements de Pégase
Un avenir de robots hante
        les corridors du futur
L'humanité se tourne sur son lit de ronces
        et change de cauchemar
Les hauts barrages inventent
        une mélodie nouvelle
L'écoulement du temps devient lumière
        dans un ciel de néons

*

Ce n'est plus la mer qui hante
        les strophes du poème
Ni le vent (ô voiliers vaporeux
        à l'horizon du siècle)

125

Ni le feu (car vaines sont les vestales
                de cet âge électrique)
Ni la terre (mère des vins et des vignes
                et des mythologies agrestes)
C'est dans les cyclones des cyclotrons
                que s'élabore une âpre poésie d'atomes

                            *

Nature fut mère et marâtre
                l'homme s'en détourne
                            tout ébloui par un soleil d'uranium
Voici venir les temps cybernétiques!
Nous serons liés comme l'abeille à l'essaim
                car la Terre deviendra ruche
Nous ferons notre miel des fleurs électroniques

PASSÉ INDÉFINI

Ces retombées de cendre, ces mutations de l'âge...
Quel homme es-tu sur ce versant du jour?
Nul ne sait les secrets de son âme
Sous le voile troué d'une mémoire obscure
La vie court à sa perte et quelques étincelles
seules subsistent
Pareils et multiples les jours te font cortège
Pareils et nonpareils, ils modulent ton être

*

Un enfant quelque part entend grandir le soir
Une eau froide coule dans ses veines La peur
marche à pas de loup sous un masque de nuages
La fin du monde, il l'attend sous un tas de pierres
Un son de cloche au loin retombe en pluie froide
Le vent n'a plus de feuilles Il dessine des arbres nus

*

Écoute cette eau qui clapote Quelle rivière te porte?
Un hibou s'allume dans la nuit
Et la même hirondelle ne crie pas comme hier

*

Dans un cimetière un homme abat des arbres
pour faire du feu
Ses mains étaient froides
Elles le sont plus encore

*

Le goût de l'eau de pluie sur le ciment
Ou bien la neige qui te picore les yeux
Où donc étais-tu pieds nus dans le chiendent?
Un ruisseau serpentait non loin de ton âge
Des insectes patinaient sur la peau de l'eau noire
L'orme saluait solennellement le soir
dont l'huile inondait lentement les chemins creux

*

Un criquet te chatouille la paume
Une mouche à feu s'éteint
Et c'est tout? Pourtant tu as aimé
Ce qui flambait au soleil, n'était-ce pas une chevelure
de femme? Ah oui! je me souviens
C'était une ombre à l'ombre des gerbes, l'automne
secouant ses épis et peut-être une forme
Un rire en tout cas, un rire de glace fondante
Oui, c'était l'automne ou bien le printemps
mais le rire était d'hiver Encore il poudroie
sur des années de gel dont je n'ai souvenance
que du froid

*

L'homme est là
avec ses désirs d'homme
Une femme hurle de plaisir
mais elle est sans visage

PROSE DU DIMANCHE 1

Tout est rayé de ce qui était écrit. On ne relit jamais le même livre. La vie sèche sur l'étendue de la mémoire. Nul ne surveille son sommeil. La mort des autres entérine sa propre mort. Le téléphone n'est pas branché sur le futur.

Se retourner dans un poème de mauvais rêves n'ouvre pas d'horizons. Le désert se mesure pas à pas. Bienheureux si quelqu'un t'accompagne. La marche des pas perdus soulève une poussière d'innocence vite retombée en d'éphémères traces…

L'heure est calme. C'est dimanche après-midi, premier juillet 1973. Il est sept heures et dix et je suis tout étonné d'être encore vivant. J'avance lentement à la recherche de la fin de ce poème qui n'a pas de fin, sinon la volonté de me taire.

Un oiseau crie. Son cri fait partie de mon silence (il vient se mêler à la rumeur des mots). On ne dit jamais ce qu'on voudrait dire. La pensée oscille au moindre bruissement. (La branche vibre et l'oiseau s'envole…)

J'ai vécu dans toutes les utopies. Ce monde est foutu. Tous les journaux me font bien rire. De scribouillage en cafouillage, ce monde se meurt. Les puissants me font pitié. Pauvres gueules de faux homo sapiens, de sous-hommes qui se cherchent dans les dédales d'un texte indéchiffrable.

Je découvre mon corps en m'approchant du tien. Je me love dans l'amour, seul lieu vivable, seul dieu vivant. Je rapporte ta présence de tous mes voyages. J'ai des liens avec les lieux, avec tes yeux, avec tout ce qui nous permet de nous voir face à face.

On se fabrique soi-même sa prison. L'homme bouffe la terre comme le ver la pomme. Le corps doit capter l'énergie... elle s'envole en fumée, se transforme en ferraille, se fait bruit, fureur et tremblement. Repos, par ici la sortie...

PROSE DU DIMANCHE 2

Les remous s'estompaient sous l'œil du cyclone.
Jamais je n'avais vu un paysage plus ondoyé. La mer
proche faisait entendre son artillerie. La montagne
d'en face lui livrait une guerre d'échos, répétant et am-
plifiant le tonnerre démesuré des ressacs. Les oiseaux
valsaient dans l'ouragan, parmi les palmiers échevelés.
Les grands hôtels menaçaient de s'écrouler. Ce qui ré-
sistait, c'était les palapas couvertes de palmes ou les
petites maisons comme la nôtre construite en adobe.
C'était notre baptême tropical, la grande liturgie de la
saison des pluies. Rien de ces violences blanches du
nord qui abolissent totalement le paysage.

À tout instant, des éclairs blafards photo-
graphiaient les lieux, laissant au fond de la rétine un
instantané qui persistait pendant quelques secondes et
se superposait à l'image suivante dans une espèce de
montage vidéo. Pour voir ce spectacle, nous étions aux
premières loges, sur une immense galerie qui pouvait
être emportée à tout moment. Après le premier choc de
la tourmente, la pluie tombait immensément. Tous les
torrents de la montagne gonflaient leurs veines. Des
éboulis culbutaient le sol.

PAYSAGE DE CHINE

La double stridence
d'un er-ou
dans la rizière

Répétait en écho
les reflets
de la rivière

IMAGES

Le silence
et ses fracas
de mots non dits

Le sable sème
son désert
l'instant pourrit
dans l'oubli

La vraie vie
est présente
ne la quittez
pas des yeux

Mots miroirs
où tout s'annule
dans l'instant
d'un regard
déjà déchu

Miroir embué
d'instants
distants
distants
distants

L'infini vide
son sablier
le retourne
et le vide…

134

JE toujours
ouvre l'œil
sur un *autre*

        L'Autre survit

PARIS-MONTRÉAL

J'ai peut-être vu le Groenland
dans un espace où le rêve
et la réalité se confondent

Monts ou nuages
Sous l'aile d'un avion réacté
les radars nous montrent
l'impossible réalité
Au loin rien n'est vrai
sinon ce que tu crois
Ni sons ni odeurs
Ni goût de fraise à l'orée du couchant
Seul un soleil
seul un œil
lisent un sol abstrait

Nul néon n'annonce
un plus lointain Labrador
Pourtant ce nom s'inscrit
en lettres de feu
sur le noir et le blanc
d'un quelconque horizon

Labrador mot sonnant
des sonnailles de chiens
Labrador nom de glace
fondant au whisky
Porte d'un pays minéral
empanaché de plumes de pétrels
Qui t'a inventé mot d'or
Labrador?

De l'œil coule
une source d'illusions
La réalité chavire
dans un virage d'avion
Voyager c'est être immobile
devant un monde qui défile

(Celui qui s'accorde au mouvement
ne connaît pas le mouvement)
Étoile filante ignorante d'elle-même
Un seul moment d'arrêt
       et tu brûles…

L'À VENIR

Vivant et viable. L'avenir. L'à Venir... À notre image malléable.

Élémentaires: la terre l'air l'eau le feu et toute la magie des métamorphoses, non plus seulement la terre et la rose, l'air et l'avion, l'eau et le scaphandre, le feu et la chaleur, mais toutes les combinaisons déraisonnables, toutes les gammes, tous les amalgames, toutes les alchimies nouvelles en perpétuelle transformation.

Le mouvement reconnu comme le fondement de l'être.

L'homme s'installe dans l'instable. À la fois tout l'assaille et lui rend son image, tout le répercute et l'atomise, le ressuscite et le détruit.

Désormais, toutes les prophéties seront possibles.

Les mouvements qui nous agitent brassent un grand corps qui se cherche un système nerveux, qui palpe l'espace de toutes ses antennes, qui se sent par toutes les ondes traversé de part en part.

C'est la lutte contre l'entropie pour laquelle il n'y a de remède que dans l'utopie constante, toujours plus incroyable et plus changeante, plus inventive, plus créatrice, plus révolutionnaire. Sous peine de mort collective, nous sommes condamnés à la création. Il faut que la poésie franchisse le mur du son, le mur de la lumière...

Je ne prophétise pas, je crie ce qui est.

Les tables de la loi sont brisées, les calculs abolis, les mots maudits, les savoirs transmués en conscience du savoir. La mémoire ne conserve que la trace de l'instant. L'homme qui marchait à reculons pour regarder se dérouler l'histoire s'est soudain retourné pour faire face à l'avenir!

J'écoute les ultrasons qui me parviennent du futur.

On ne me parle pas du meilleur des mondes, mais d'une longue marche, d'obstacles franchis, de contradictions réconciliées dans un immense brasier... Déjà tout brûle et tout renaît de ses cendres, avec un nouvau visage.

*

Le langage m'entoure, me cerne, me traque. Au-delà, il n'y a que l'informe. Pourtant, c'est dans ce chaos que prend forme le futur conditionnel.

Désormais, je ne sais plus nommer les choses. L'outre-langage est un nouveau rivage. Le passé s'écoule du présent, l'avenir s'y engouffre.

(Œdipe s'avance, les yeux crevés, dans le bois des Furies)

AMER/INDIEN

Les âges d'or et les barbaries s'étagent
         dans l'épaisseur des siècles
Des races entières dorment au fond des mythes
Elles tournent vers nous leurs masques de pierre
         leurs fétiches
         leurs dieux sculptés plus beaux que nos
         dieux
Leurs monolithes solaires marquent l'heure
         des grands cataclysmes
Leur sagesse sublimée au ventre des amphores
                  flotte dans l'air
                  (pollen immortel)
Et fait soudain délirer nos esprits momifiés
Tabous tabous
Trésors cachés aux cavernes de l'être
         où gît un peu de cendre
Mythes calcinés au feu d'une plus vaste connaissance
Une roche sculptée roule du plus profond du temps
                  brouille l'Histoire
Et les grands-prêtres du Savoir
         ne comprennent même plus leur abécédaire
Ils insultent l'oracle à tête d'oiseau
         dont le chant fait choir les chapiteaux du
         temple

Tabous tabous
Secret scellé aux cavernes de l'être
L'homme est la préhistoire de l'homme
aux chambres des pyramides

NE VOIS-TU RIEN VENIR?

Auberges ouvertes aux berges du futur
Des cargos de santé circulent dans mes veines
De petits espoirs font le pied de grue
La durée fond dans un verre
Ah! pourtant la fleur de l'infini
filait au firmament
L'orbe s'urbanisait
Le sens unique ébauchait une corolle
Un nulle part peuplé de voiles
frémissait au vent de la bonté retrouvée
Et tout recommençait sans cesse
dans la gloire de tes yeux
amour et mort désir et deuil
Le jumelage de nos corps faisait une plage
à la mouvance et au mépris des apparences
Le soleil ne se couchait pas
sur mon amour pour elle

L'ŒUF

Quand
je regarde un œuf
je suis effaré. Œuffaré? La
somme de mystères (de connais-
sances) qu'il contient! J'y vois le
développement du monde qui se fait,
comme on le sait d'une façon organique (dialec-
tique) Tout y est: le code génétique (langage muet
qui transmet les ordres irrévocables de la cellule)
l'organisation à partir d'un tout (apparemment indéter-
miné, mais mû par toutes les contradictions internes et
externes, par les cheminements les ligaments qui se joignent se
séparent se reconnaissent établissent leurs principautés précaires
bientôt dissoutes dans de plus grands ensembles croissent et se
transforment forment des nœuds embryons d'organes de viscères et
de membres qui s'additionnent se multiplient et se subdivisent en
maintes révolutions silencieuses dans un plasma toujours nourricier de
querelles nouvelles qui s'agglutinent et se repoussent dans une lente par-
turition de la chaleur non pas vers une finalité abstraite mais en vertu
d'une détermination concrète et d'un cheminement vers le bec l'œil et le
duvet du poulet. Puis vient le grand matin de l'éclosion la révolution
totale hors de la coquille le saut qualitatif (précédé de multiples petites
secousses) au grand jour! L'œuf devient poulet se dirige vers la poule ou
le coq! Ainsi depuis longtemps en avait décidé le code génétique... Mais
si... Oui si d'autres agents à l'intérieur et à l'extérieur de l'œuf avaient
agi (eux-mêmes déterminés mais selon des codes différents) dans
l'évolution de l'œuf vers son éclosion qu'en résulterait-il? Sommes-
nous donc enfermés dans l'œuf/histoire? Et vers quelle éclo-
sion/occlusion nous dirigeons-nous? De ce long tâtonnement
moléculaire surgira-t-il un oiseau-paradis ou un poulet
mort-né? En attendant il faut vivre chaque fibre évo-
lutive de l'œuf global et révolutionnaire oui/non
global. Être à chaque moment chaque
moment de l'être

144

ÉCRITS VAINS

L'écriture efface le réel!
    instaure un ciel nouveau
machination
        espace illusoire
                    miroir
déformant
        lire entre les lignes
(nadanadanadanadanadanadanada)
néant
        «La plume plus puissante que l'épée»
hahahaha!
        Essayez l'épée.
J'écris tranquillement
        le mot révolution
assis confortablement
        devant la télévision
«On est propres, propres, propres»
        lavage de cerveaux
Plus blancs que blancs… Écrire
        simple jeu de mots.
Que va dire la critique?
        tic tic tic tic…
La pollution des sens
Le sens de la pollution

L'essence de la pollution
La pollution par l'essence

Allons, ce n'est pas sérieux
    l'esprit pollue le sens
dit le cri-tic-tic-tic-tic
    Voyons le con
(texte) des signifiés-signifiants
    subvertir les structures
de la phrase (écrits-vains)
Texte con-texte pré-texte tout est bon
    pour faire la révolution
Maudit langage
    seule barrière
        contre l'inflation
Lutter contre les symboles
    opposer les mots aux maux
monogamie mythomane
    chant de chaman
        écrivanité
    inanité.

Nota bene: quand on sort du texte
    on se retrouve dans la rue

ÉPILOGUE

Épineux souvenirs des barbelés
Fours crématoires aux atroces fumées d'éclipse
                    et de fin du monde
je vous évoque, mythologies barbares,
que la paix a recouvertes de son infrangible vigilance
Moi, ce n'est pas pour vous oublier
que je vous couvre du suaire de ce poème
mais pour que votre marque indélébile
atteste aux oublieuses mémoires
l'émergence de la férocité
sur la Face du Siècle

Table

COLLECTION RÉTROSPECTIVES

Michel Beaulieu, *Desseins*, poèmes 1961-1966
Réginald Boisvert, *Poèmes pour un homme juste*, 1949-1985
Nicole Brossard, *Le centre blanc*, poèmes 1965-1975
Nicole Brossard, *Double impression*, poèmes et textes 1967-1984
Yves-Grabriel Brunet, *Poésie I*, poèmes 1958-1962
Cécile Cloutier, *L'écouté*, poèmes 1960-1983
Juan Garcia, *Corps de gloire*, poèmes 1963-1988
Michel Gay, *Calculs*, poèmes 1978-1986
Louis Geoffroy, *Le saint rouge et la pécheresse*, poèmes 1963-1974
Roland Giguère, *L'âge de la parole*, poèmes 1949-1960
Jacques Godbout, *Souvenirs Shop*, poèmes et proses 1956-1980
Gérald Godin, *Ils ne demandaient qu'à brûler*, poèmes 1960-1986
Alain Grandbois, *Poèmes*, poèmes 1944-1969
Paul-Marie Lapointe, *Le réel absolu*, poèmes 1948-1965
Isabelle Legris, *Le sceau de l'ellipse*, poèmes 1943-1967
Olivier Marchand, *Par détresse et tendresse*, poèmes 1953-1965
Pierre Morency, *Quand nous serons*, poèmes 1967-1978
Fernand Ouellette, *En la nuit, la mer*, poèmes 1972-1980
Fernand Ouellette, *Poésie*, poèmes 1953-1971
Pierre Perrault, *Chouennes*, poèmes 1961-1971
Pierre Perrault, *Gélivures*, poésie
Alphonse Piché, *Poèmes*, poèmes 1946-1968
Yves Préfontaine, *Parole tenue*, poèmes 1954-1985
Jacques Renaud, *Les cycles du Scorpion*, poèmes et proses 1960-1987
Fernande Saint-Martin, *La fiction du réel*, poèmes 1953-1975
Michel van Schendel, *De l'œil et de l'écoute*, poèmes 1956-1976
Gemma Tremblay, *Poèmes*, poèmes 1960-1972
Pierre Trottier, *En vallées closes*, poèmes 1951-1986

COLLECTION PARCOURS

Claude Haeffely, *La pointe du vent*

ANTHOLOGIES

Lucien Francœur, *Vingt-cinq poètes québécois, 1968-1978*
Laurent Mailhot, Pierre Nepveu, *La poésie québécoise des origines à nos jours*
Jean Royer, *La poésie québécoise contemporaine*

Cet ouvrage composé en Times corps 12
a été achevé d'imprimer sur les presses
de l'Imprimerie Gagné à Louiseville
le trois octobre mil neuf cent
quatre-vingt-onze pour le compte des
Éditions de l'Hexagone.

Inprimé au Québec (Canada)